Tome 4

BARTOLL   GARRETA

LE PIÈGE AFGHAN

Couleur : Kness

DARGAUD

PARIS • BARCELONE • BRUXELLES • LAUSANNE • LONDRES • MONTRÉAL • NEW YORK • STUTTGART

Résumé des tomes précédents

...PARALLÈLEMENT, DICK MATTHEWS, (UN ANCIEN DIRECTEUR DES OPÉRATIONS DE LA CIA) REÇOIT LE FEU VERT DU PRÉSIDENT DES USA AFIN DE MONTER UNE OPÉRATION TOP SECRET EN MARGE DES AUTRES AGENCES : LE "PROJET INSIDER"...

...NAJAH VA ALORS ÊTRE KIDNAPPÉE PAR LES HOMMES DE MATTHEWS ET N'AURA PAS D'AUTRE CHOIX QUE DE TRAVAILLER POUR LUI, CAR ELLE S'APPELLE EN RÉALITÉ ISABEL MENDOZA ET UN MANDAT D'ARRÊT INTERNATIONAL A ÉTÉ LANCÉ CONTRE ELLE, QUELQUES ANNÉES PLUS TÔT...

NAJAH EST UNE JEUNE FEMME ENGAGÉE AUPRÈS DES RÉSISTANTS TCHÉTCHÈNES. DÉGOÛTÉE PAR LA NOUVELLE INTOLÉRANCE RELIGIEUSE DONT FAIT PREUVE LEUR CHEF, ELLE DÉCIDE DE QUITTER LES COMBATS DANS LES CIMES DU CAUCASE...

...NAJAH DEVIENT UNE "INSIDER". SA PREMIÈRE MISSION CONSISTE À S'INTRODUIRE AUPRÈS DU MILLIARDAIRE SAM NATCHEZ. UN HOMME QUE DICK MATTHEWS SOUPÇONNE D'ÊTRE LE PARRAIN OCCULTE DU GRAND CONSEIL DES MAFIAS...

...NAJAH RÉUSSIT SON "INFILTRATION" EN SAUVANT LA VIE DE NATCHEZ, APRÈS UN CRASH D'AVION. ELLE DEVIENT SON GARDE DU CORPS, À L'OCCASION D'UN VOYAGE D'AFFAIRES QUI LES MÈNE AU PAKISTAN, EN COMPAGNIE DE BERTRAND CORDEZ, LE PATRON DE LA NOUVELLE MANUFACTURE DE MISSILES...

... LE LENDEMAIN, NAJAH ET CORDEZ SONT KIDNAPPÉS EN PLEIN CENTRE D'ISLAMABAD PAR DES NÉO-TALIBANS, APRÈS QUE CES DERNIERS AIENT PROVOQUÉ UN CARNAGE EN FAISANT SAUTER UNE BOMBE DEVANT UN HÔTEL FRÉQUENTÉ PAR DES OCCIDENTAUX...

«L'intensification de la culture du pavot à opium en Afghanistan répond à une consommation croissante d'héroïne dans le monde qui, à son tour, contribue à propager le sida (...) les profits du trafic de drogue servent à corrompre les institutions, à financer le terrorisme et la rébellion, et conduisent à déstabiliser la région. »
Extrait du rapport 2003 de l'Organe international de contrôle de stupéfiants (publié à Vienne le 3 mars 2004).

*Cette bande dessinée est une œuvre de fiction imaginée par les auteurs.
Toute ressemblance avec des personnes physiques ou morales existantes
ou ayant existé ne serait que purement fortuite.*

Lettrage : François Batet

www.dargaud.com

© **DARGAUD 2009**
PREMIÈRE ÉDITION EN 2005
Conception graphique Philippe Ravon
Dépôt légal: mars 2009 • ISBN 978-2205-05658-7
Printed in France by PPO Graphic, 91120 Palaiseau

25 MAI. ZONE TRIBALE À LA FRONTIÈRE AFGHANO-PAKISTANAISE...

CLANG

AïïEEE!!
MON FRONT!!

BONG

ILS POURRAIENT PAS ROULER NORMALEMENT, CES BÂTARDS...

3

APPROCHONS DES MONTAGNES DE SAFID-KOH. PERSONNE NE NOUS SUIT. À TOI, AHMAD!

TOUT EST PRÊT POUR VOTRE ARRIVÉE, MON FRÈRE. MES HOMMES MÈNERONT VOS VÉHICULES PLUS AU SUD AFIN DE BROUILLER LES PISTES...

INCH' ALLAH, AHMAD...

AZIZ, TU PRENDS MOUSSAOUI ET MALIK AVEC TOI. VOUS GRIMPEZ SUR LE PROMONTOIRE AFIN DE GUETTER EN DIRECTION DE LA VALLÉE...

ABOU, JE TE CONFIE LA RESPONSABILITÉ DE CES CHIENS D'OCCIDENTAUX!

BIEN, MOLLAH KAMAL!

UN PEU PLUS TARD...

CE SONT DES NÉO-TALIBANS, MAIS JE NE CROIS PAS QU'ILS VEUILLENT NOUS TUER !...EN TOUT CAS, PAS POUR L'INSTANT...

MHMMMM...

IL FAUT TROUVER UN MOYEN DE LEUR FAUSSER COMPAGNIE. JE COMPTE SUR VOUS, BERTRAND...

MAIS VOUS ALLEZ ME RÉPONDRE, À LA FIN !!

Le piège afghan

BERTRAND ! SECOUEZ-VOUS, BON SANG !!...

IL A VRAIMENT L'AIR ATTEINT...

VOUS, VOUS TAIRE, YALA... SINON, JE VOUS FAIS COUPER LA LANGUE !!

Hiiiiiii... Hiiiiiii...

QU'EST-CE QUE VOUS NOUS VOULEZ ?... POURQUOI NOUS AVOIR KIDNAPPÉS ? VOUS VOULEZ DE L'ARGENT ?...

HAHAHAHA... VOUS LE SAUREZ EN TEMPS VOULU ! MAINTENANT, VOUS DEVEZ DORMIR !

BIZARRE, CE GUS...

ON DEVRAIT BIENTÔT TRAVERSER LA FRONTIÈRE...

BIEN DIT, MON FRÈRE ! MAIS TOUTES LES TRIBUS PACHTOUN NE SONT PAS FORCÉMENT DE NOTRE CÔTÉ...

TU SAIS BIEN QUE CETTE FRONTIÈRE N'EXISTE PAS POUR NOUS ! AFGHANISTAN OU PAKISTAN, C'EST PAREIL. CETTE TERRE N'APPARTIENT QU'AUX PACHTOUN...

QUE L'UN D'ENTRE NOUS AILLE PRÉVENIR LE MOLLAH KAMAL... NOUS SOMMES EN VUE DU TERRITOIRE DES BATHIAR !

SOYEZ PRUDENTS...

JE NE VEUX PAS D'ACCROCHAGE AVEC LES BATHIAR !

ET SURVEILLE LES PRISONNIERS... LA FEMELLE EST PLUS VIVE QU'UN REPTILE !

RALENTIS!

?!?

DÉGAGE, ABOU!!

CORDEZ! FONCEZ!!

AZIZ, PRENDS CINQ HOMMES AVEC TOI ET NE PROVOQUEZ PAS LES BATHIAR!!

HÏÄÄAAA

C'EST INSENSÉ! JE NE PEUX PAS LAISSER CORDEZ PRISONNIER DE CES FOUS FURIEUX!

TANT PIS...

HO!

PAR ALLAH! REGARDEZ!!

?!

MAIS D'OÙ SORT CET HÉLICOPTÈRE DE COMBAT?!... JE NE L'AI MÊME PAS ENTENDU ARRIVER!!

WROW

?!

HIIIIII!!!

RAKA TAK A TAK TAK

PFÍOW!

PFÍOW!

AAHOW!!

AU MÊME MOMENT, PRÈS DU SIÈGE DES SERVICES SPÉCIAUX PAKISTANAIS, NON LOIN D'ISLAMABAD...

ET, EN TANT QUE CHEF D'ANTENNE DE LA "CENTRALE"*, VOUS N'AVEZ PAS D'AUTRES "SOURCES" SUR PLACE ?

FUCKING BASTARDS !!... SI JE TENAIS CES ENFOIRÉS QUI ONT KIDNAPPÉ NAJAH ET CORDEZ, JE LES MASSACRERAIS COMME ILS L'ONT FAIT AVEC LES GARS DES FORCES SPÉCIALES ! **

MON CHER SAM, JE NE COMPRENDS PAS GRAND-CHOSE À CETTE AFFAIRE !

VOILÀ TOUT CE QUE JE SAIS, CAPITAINE DARCOURT... LES PAKISTANAIS SEMBLENT JOUER LE JEU, MAIS LA DISPARITION DE BERTRAND CORDEZ EST TOUJOURS AUSSI MYSTÉRIEUSE...

QUE DALLE, CAPITAINE ! MON SEUL CANAL D'INFORMATIONS, C'EST LE TYPE QUE NOUS ALLONS VOIR...

UN GÉNÉRAL DU NOM DE ZIA JAH, QUI N'EST RIEN D'AUTRE QUE LE CHEF DES SERVICES DE RENSEIGNEMENTS DE L'ARMÉE !

AH ! NOUS Y VOILÀ...

SI C'ÉTAIT UN ÉNIÈME ATTENTAT ANTI-AMÉRICAIN, POURQUOI LES TERRORISTES ONT-ILS PRIS EN OTAGE TON FABRICANT DE MISSILES FRANÇAIS ET TA RAVISSANTE GARDE DU CORPS ?

BLOODY HELL ! ET SI C'ÉTAIT LE CONCURRENT DE CORDEZ QUI ÉTAIT DERRIÈRE TOUT ÇA...

IMPOSSIBLE !!

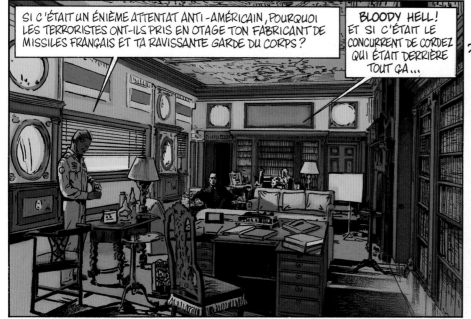

TU M'AS BIEN DIT QUE CE TEXAN VIENT D'OBTENIR DE TON GÉNÉRAL-PRÉSIDENT QUE SES MISSILES SOIENT CHOISIS PAR VOTRE ARMÉE DE L'AIR !

*SURNOM DONNÉ À LA DGSE PAR SES MEMBRES.   ** VOIR TOME 3 : "MISSILES POUR ISLAMABAD".

ÉCOUTE-MOI, SAM... ON VA TENTER DE RETROUVER CORDEZ ET TA NAJAH, MAIS, D'APRÈS MOI, ILS ONT SANS DOUTE DÉJÀ ÉTÉ ÉGORGÉS PAR LES RESPONSABLES DE L'ATTENTAT...

ET N'OUBLIE PAS QUE LES AFFAIRES DU GRAND CONSEIL SONT AUTREMENT PLUS CRUCIALES QUE CETTE IMPROBABLE VENTE DE MISSILES !

OK... OK... REVENONS À NOTRE BUSINESS, ZIA. NOUS AVONS DONC UN SOUCI AVEC LE VOLUME DES PROFITS TIRÉS DU TRAFIC QUE TU CONTRÔLES DANS LE CROISSANT D'OR...

EXACT !... LA PRODUCTION D'HÉROÏNE EXPLOSE LITTÉRALEMENT, ET JE NE SAIS VRAIMENT PAS COMMENT INJECTER CES CENTAINES DE MILLIONS DE DOLLARS D'EXCÉDENTS DE PROFITS DANS LE CIRCUIT FINANCIER INTERNATIONAL...

J'AI MON IDÉE POUR ARRANGER CE PROBLÈME, MAIS JE PRÉFÈRE L'EXPOSER LORS DE LA PROCHAINE RÉUNION DU GRAND CONSEIL. J'AI ENCORE CERTAINS POINTS À VÉRIFIER...

DRING DRING

JE N'EN ATTENDAIS PAS MOINS DU GRAND MAÎTRE DES PARRAINS OCCULTES !... EXCUSE-MOI, MAIS JE DOIS RÉPONDRE...

OUI ! FAITES-LES MONTER !... EXCUSE-MOI, SAM, MAIS CE SONT LES SERVICES SECRETS FRANÇAIS. JE DOIS LES RECEVOIR DANS QUELQUES MINUTES...

NO PROBLEM, ZIA. MON JET EST PRÊT À DÉCOLLER... ON SE REVOIT DONC DANS LA PROPRIÉTÉ NORMANDE DE NOTRE CHÈRE BARONNE !

MERCI DE NOUS RECEVOIR, MON GÉNÉRAL ! JE VOUS PRÉSENTE LE CAPITAINE DARCOURT, SPÉCIALEMENT ENVOYÉ PAR L'ÉLYSÉE POUR...

SAM NATCHEZ !! MAIS QU'EST-CE QUE CETTE CRAPULE PEUT BIEN TRAFIQUER CHEZ LE PATRON DES SR PAKISTANAIS ?!

ENCHANTÉ, CAPITAINE !... AINSI, VOUS SOUHAITEZ SUPERVISER L'ENQUÊTE SUR LA DISPARITION DU GENDRE DE VOTRE PRÉSIDENT DE LA RÉPUBLIQUE...

27 MAI. FORT BATHIAR (NORD-EST DE L'AFGHANISTAN)...

ALORS, JEUNE FILLE... COMMENT SE SENT-ON APRÈS UNE BONNE NUIT DE REPOS?

JE VOUS AI FAIT APPORTER DU PORRIDGE AVEC UN PEU DE THÉ...

MAIS VOUS PRÉFÉREZ PEUT-ÊTRE DU CAFÉ !

DU THÉ, C'EST PARFAIT... EUH... MOI, C'EST NAJAH !

ENCHANTÉE... MOI, C'EST EMMA... EMMA BATHIAR !

PAR ALLAH... IL FAUT PRÉVENIR LE SEIGNEUR GUDDYN !

VOUS ÊTES DONC DANS LA DEMEURE DU CHEF DE LA TRIBU DES BATHIAR, QUI CONTRÔLE, AU TRAVERS D'UNE DIZAINE DE CLANS AFFILIÉS, PRÈS DE 500 000 ÂMES DES DEUX CÔTÉS DE LA FRONTIÈRE*...

MAIS COMMENT UNE ANGLAISE COMME VOUS S'EST RETROUVÉE DANS CETTE VALLÉE PERDUE, AU MILIEU DE NULLE PART ?

ALORS QUE J'ÉTAIS ÉTUDIANTE À OXFORD, J'Y RENCONTRAI UN BEL ÉTUDIANT AUX YEUX DE BRAISE. PEU APRÈS J'ÉPOUSAI GUDDYN PUIS LES SOVIÉTIQUES SE DÉCIDÈRENT À ENVAHIR L'AFGHANISTAN...

MON MARI RETOURNA DANS SON PAYS ET DEVINT L'UN DES CHEFS DE LA RÉSISTANCE, À LA TÊTE DE SES GUERRIERS BATHIAR. ET, DEPUIS LA FIN DE L'OCCUPATION RUSSE, NOUS VIVONS ENTRE LONDRES, NOTRE MANOIR DANS LE SUSSEX, ET CE FORT SURGI D'UN AUTRE ÂGE...

ET... IMMENSÉMENT RICHE, SI CES CENTAINES D'HECTARES CULTI-VÉS SONT DES CHAMPS DE PAVOT !

J'AI HÂTE DE RENCONTRER UN HOMME AUSSI CHANCEUX QUE COURAGEUX...

RAKAT TAK

KA TAC

*LES TRIBUS PACHTOUN NE RECONNAISSENT PAS LA FRONTIÈRE ENTRE LE PAKISTAN ET L'AFGHANISTAN, LA LIGNE DURAND, DESSINÉE EN 1894 PAR UN ANGLAIS ÉPONYME, ET QUI COUPE LEURS TERRITOIRES ANCESTRAUX DE FAÇON ARTIFICIELLE.

DU CALME ! LAISSEZ PASSER CES CHIENS DE RAWALLI !

C'EST MON MARI ! LE "WARLORD" GUDDYN BATHIAR !

LE SEUL CHIEN QUI SOIT PRÉSENT DANS TA DEMEURE C'EST TOI-MÊME, GUDDYN BATHIAR !

N'ABUSE PAS DE MON HOSPITALITÉ, NAHROUF RAWALLI ! J'IMAGINE QUE TU ES ICI POUR ME DEMANDER DES COMPTES APRÈS LA MORT DE TON FRÈRE...

C'EST LE TROISIÈME DE MES FRÈRES QUE TU FAIS ASSASSINER EN MOINS DE DEUX MOIS !! TU DOIS PAYER !!

HAHAHAHH

TU NE SAIS TOUJOURS PAS COMPTER, NAHROUF ! HAHAHAHHH... QUAND JE PENSE QUE TON PAUVRE PÈRE A TENTÉ DE TE DONNER UN SEMBLANT D'INSTRUCTION !

N'INSULTE PAS MON PÈRE ! ET POURQUOI TU DIS QUE JE NE SAIS PAS COMPTER ?!

AVEC TON DERNIER FRÈRE MORT, ÇA FAIT VINGT RAWALLI QUI ONT ÉTÉ TUÉS, ALORS QUE VINGT BATHIAR ONT ÉTÉ SUPPRIMÉS PAR TON CLAN CES TROIS DERNIÈRES ANNÉES... VOILÀ POURQUOI TU DEVRAIS COMPTER, ÂNE BÂTÉ !!

LA PACHTOUWALLI* PEUT DÉSORMAIS S'APPLIQUER...

*LE CODE DE L'HONNEUR DES PACHTOUN.

14

J'ACCEPTE DE FAIRE CESSER CE RÈGLEMENT DE COMPTES ENTRE NOS DEUX FAMILLES SI VOUS IMPLOREZ MA PROTECTION. AINSI, JE NE SERAI PAS OBLIGÉ DE VOUS TUER, VOUS AUSSI, AFIN DE CONTINUER À LAVER MON HONNEUR DANS LE SANG!

JE CONNAIS LA PACHTOUWALLI AUSSI BIEN QUE TOI, GUDDYN, MAIS JE REFUSE QUE MA TRIBU NE PUISSE PLUS CULTIVER LE PAVOT POUR SON PROPRE COMPTE!

DANS CETTE RÉGION, LE BUSINESS DE L'OPIUM NE PASSE QUE PAR MOI! GUDDYN BATHIAR!!

ÇA, JE N'EN SUIS PAS AUSSI SÛR QUE TOI!

?!

RAKATAKATAC

TA AK ATAC.

! !!

TA TRIBU ET SES VASSAUX VONT BIENTÔT DEVOIR ÉLIRE UN NOUVEAU CHEF!

ADIEU, SALE PORC DE BATHIAR!!

GUDDYNNN!!

RAKATACK!

!

HIA!

OHMPFFF!!

JOLI COUP!

PRENDS ÇA, FEMELLE DÉPRAVÉE!!

LE LENDEMAIN APRÈS-MIDI...

EN LEUR IMPOSANT LA CULTURE EXCLUSIVE DU PAVOT, JE LEUR GARANTIS UN REVENU DE 9000 DOLLARS À L'HECTARE!

ET S'ILS CULTIVAIENT DU BLÉ?

TOUT CE QUE VOUS VOYEZ DU LEVANT AU COUCHANT APPARTIENT AUX BATHIAR, ET DERRIÈRE CES MONTAGNES SE TROUVENT NOS TERRES LES PLUS FERTILES...

MAIS LES AGRICULTEURS DE VOTRE TRIBU CULTIVENT LEURS TERRES POUR EUX-MÊMES?

DISONS QU'ILS CULTIVENT POUR LEUR COMPTE, MAIS QU'ILS N'ONT QU'UN SEUL CLIENT... MOI!

ILS NE GAGNERAIENT QUE 58 DOLLARS À L'HECTARE ET EN PLUS, ILS DEVRAIENT SE DÉBROUILLER POUR L'AMENER JUSQU'À LA VILLE, ALORS QUE LE PAVOT EST ENLEVÉ PAR MON PROPRE SERVICE DE TRANSPORTS!

C'EST BIEN LA MÊME LOGIQUE ÉCONOMIQUE QU'EN COLOMBIE POUR LA COCAÏNE...

JE VAIS VOUS MONTRER LE PROCESSUS QUI ME PERMET DE CONTRÔLER TOUTE LA CHAÎNE ÉCONOMIQUE DANS CETTE PARTIE DU "CROISSANT D'OR"...

APRÈS LA CHUTE DES PÉTALES, VOUS INCISEZ DÉLICATEMENT CHAQUE CAPSULE AFIN D'EN FAIRE SUINTER LA SÈVE...

AU CONTACT DE L'AIR, ELLE SE TRANSFORME EN UNE GOMME BRUNÂTRE : LA RÉSINE D'OPIUM.

RÉSINE QUI EST DISPOSÉE DANS DES CASIERS, OÙ ELLE SÈCHE AU SOLEIL, ENVIRON DEUX SEMAINES, AFIN DE PERDRE UN TIERS DE SON EAU...

ENSUITE, NOUS FABRIQUONS DES PAINS D'OPIUM D'UN POIDS DE CINQ KILOS CHACUN...

J'AI AINSI VENDU QUELQUE 1500 TONNES D'OPIUM L'AN DERNIER À MON AMI DES SR PAKISTANAIS, MAIS J'AI TROUVÉ QUE CE N'ÉTAIT PAS ASSEZ RENTABLE...

ET SI CET "AMI" ÉTAIT ZIA JAH... LE CONTACT DE SAM NATCHEZ À ISLAMABAD ?...

J'AI DONC DÉCIDÉ DE CRÉER MA PROPRE RAFFINERIE D'HÉROÏNE !... IL M'A JUSTE FALLU TROUVER UN CHIMISTE BIRMAN ET ACHETER QUELQUES CENTAINES DE LITRES D'ACÉTIQUE ANHYDRIDE...

PENSEZ QUE, POUR UN TRÈS FAIBLE COÛT, CHAQUE KILO D'OPIUM ME PERMET DE PRODUIRE 100 GRAMMES D'HÉROÏNE QUASIMENT PURE...

CE QUI VOUS PERMET DE DÉCUPLER VOS BÉNÉFICES ET D'EXPORTER VOTRE "CHINA WHITE"* PLUS FACILEMENT QUE LES VOLUMINEUX PAINS D'OPIUM !

BRILLANTE DÉDUCTION... JE VAIS ÊTRE DIRECT, NAJAH, VOULEZ-VOUS TRAVAILLER POUR MOI ?

CHOUKRAN**, GUDDYN... MAIS JE DOIS RETROUVER L'HOMME DONT J'ÉTAIS EN CHARGE À ISLAMABAD. ET JE COMPTAIS SUR VOUS POUR M'Y AIDER...

** MERCI.

* VARIÉTÉ D'HÉROÏNE D'UNE PLUS GRANDE PURETÉ QUE LA "BROWN SUGAR", HABITUELLEMENT PRODUITE AU PAKISTAN.

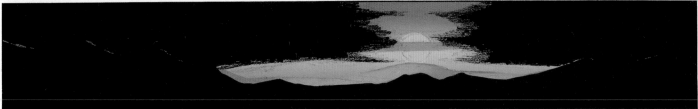

LES GROTTES DE TOROBORO!

C'EST DONC ICI LE REPAIRE DES NÉO-TALIBANS?

OUI !

INCH 'ALLAH! JE N'AI PLUS QU'À SUIVRE LES CONSEILS DE GUDDYN...

YALA! YALA! VOUS TRAÎNEZ CE SOIR !!

MAIS C'EST UN VRAI BUNKER!

BERTRAND CORDEZ!!

BINGO!!

Hiiiii... MAMAN!... J'AI PEUR... MAMAAN...

Hiiiii... MESSIEURS! JE VEUX PARTiiiiR...

ALLONS VOIR PAR LÀ`...

JE CONFIRME SA PRÉSENCE... À VOUS!

?!?

À QUI PARLES-TU? CHIENNE!!

PRENDS ÇA!... TU N'AS RIEN À FAIRE ICI!!

ARGHH!!

QUELQUES HEURES PLUS TARD. HÔTEL INTERNATIONAL D'ISLAMABAD (PAKISTAN)...

ZIA JAH REFUSE DE FAIRE INTERVENIR SES TROUPES CAR CES GROTTES DE TORO BORO SONT EN TERRITOIRE AFGHAN !

NE VOUS PLAIGNEZ PAS, DARCOURT ! C'EST DÉJÀ UNE CHANCE QU'IL AIT PU LOCALISER LE LIEU DE DÉTENTION DE CORDEZ !

DO NOT ENTER CAUTION DO NOT ENTE

VOUS NE VOULEZ PAS ALLER À L'AMBASSADE AFIN D'APPELER LA "CENTRALE" ?

NON ! J'AI MA PROPRE LIGNE CRYPTÉE ! JE VOUS TIENS AU COURANT DE CE QUI SERA DÉCIDÉ À PARIS !

ICI L'ÉMINENCE ! OUI, JE VOUS ENTENDS HAUT ET FORT, CAPITAINE DARCOURT...

AFFIRMATIF !... VOUS VOULEZ MONTER UNE OPÉRATION EXFILTRATION ? MAIS...

LE CRAP* DU CHARLES DE GAULLE EST DONC MIS À VOTRE DISPOSITION VOUS AVEZ L'ENTIÈRE RESPONSABILITÉ DE CETTE MISSION, ET VOUS N'EN RÉFÉREREZ QU'À MOI-MÊME ! BONNE CHANCE, CAPITAINE...

ÇA ALORS ! C'EST UNE VRAIE CHANCE QUE NOTRE PORTE-AVIONS SOIT DANS LE COIN** ! BON, JE VAIS ME PRÉPARER EN ATTENDANT L'HÉLICO...

** DURANT L'OPÉRATION AMÉRICAINE "ENDURING FREEDOM" EN AFGHANISTAN, LE "CHARLES DE GAULLE" A ASSURÉ UNE MISSION DE 190 JOURS DANS LA MER D'OMAN, QUI DONNA LIEU À PLUS DE 3000 CATAPULTAGES D'AVIONS.

* COMMANDO DE RECONNAISSANCE ET D'ACTION EN PROFONDEUR.

AU MÊME MOMENT. GROTTES DE LA VALLÉE DE TORO BORO (AFGHANISTAN)...

AHAANNₙ...

??!

ELLE S'EST ÉVANOUIE...

TU N'ES QU'UNE BRUTE, ABOU !! ELLE NE NOUS A RIEN DIT ! NI COMMENT ELLE NOUS A TROUVÉS ! RIEN DE RIEN ! RAMÈNE-LA DANS LA CELLULE AVEC L'AUTRE AFFLIGÉ DE DIEU* !

DE L'ALCOOL À 90°... DE LA POMMADE ... DU COTON ...

NAJAH ! TU ME RECONNAIS ?...

ISHKA** ?!

*SURNOM DONNÉ PAR LES MUSULMANS AUX PERSONNES SOUFFRANT DE TROUBLES PSYCHOLOGIQUES.

** VOIR TOME 1 : "GUÉRILLA TCHÉTCHÈNE".

30 MAI. PORTE-AVIONS CHARLES DE GAULLE CROISANT DANS LA MER D'OMAN...

CAPITAINE ROLAND DARCOURT AU RAPPORT, MON AMIRAL !

ROMPEZ ! L'ÉMINENCE M'A DÉJÀ PRÉVENU. FILEZ AU MESS, LES HOMMES DU CRAP VOUS Y ATTENDENT ! ET BONNE CHANCE...

NON ! L'ADJUDANT ANDRÉ LOISEAU ?!... J'Y CROIS PAS !!

JE VOUS PRÉSENTE LE CAPITAINE ROLAND DARCOURT... PRÉSENTEMENT AFFECTÉ CHEZ LES "MOUSTACHES"* !

HAHAHAA !... QUE DIEU NOUS GARDE SI C'EST UNE OPS DU BOULEVARD MORTIER !

HAHAHAHAHAAA...

ATTENDEZ DE SAVOIR DE QUOI IL S'AGIT, LES GARS ! VOUS RIGOLEREZ MOINS...

DE "MAMAN" À "TAXI COYOTE"... VOUS POUVEZ DÉCOLLER !

*SURNOM DONNÉ PAR LES MILITAIRES À LEURS HOMOLOGUES QUI TRAVAILLENT À LA DGSE.

UN TRANSALL ARRIVE DONC DE DJIBOUTI. NOUS LE RETROUVONS À KARACHI, PUIS ENSUITE CE SERA LE GRAND SAUT !

J'ADORE CE GENRE DE MISSION, ROLAND ! LE B.A.-BA DE NOTRE MÉTIER : PÉNÉTRATION, ACTION ET EXFILTRATION !!

ET VOUS CONNAISSEZ LA DEVISE DES CRAP, CAPITAINE !..."QUI OSE GAGNE" !!

OUI, "ÉMINENCE", EUH ...JE VEUX DIRE MONSIEUR LEDUC ! PARDON ? VOUS VOULEZ QUE JE PRÉVOIE UN APPUI AÉRIEN TACTIQUE SUR ZONE ?...

AVEC DES BOMBES INCENDIAIRES ??... MAIS...

QUELQUES HEURES PLUS TARD ...

NOUS ATTEIGNONS LA LIMITE DE L'ESPACE AÉRIEN PAKISTANAIS ...

VOILÀ... LES NOUNOUS RENTRENT AU BERCAIL ! LIEUTENANT, ALLEZ ME CHERCHER DARCOURT !

À VOS ORDRES, COMMANDANT !

NOUS VOLONS À DIX MILLE MÈTRES ET NOUS N'ALLONS PAS TARDER À ARRIVER SUR LA DZ...

PARFAIT... NOUS POURRONS AINSI DÉRIVER SUR LES DERNIERS QUARANTE KILOMÈTRES SANS NOUS FAIRE REMARQUER...

EXACT. ET ENSUITE, VOUS NE DEVRIEZ ÊTRE QU'À DEUX KILOMÈTRES À PIED DE VOTRE OBJECTIF...

POURVU QUE NOUS SOYONS SUR ZONE AVANT L'AUBE !

BONNE CHANCE, GROUPE "COYOTE" !

VÉRIFIEZ VOTRE ARRIVÉE D'OXYGÈNE... C'EST OK ? BON, ENSUITE VOUS NE TIREZ SUR VOTRE VOILE QU'À MILLE MÈTRES. COMPRIS ?

AFFIRMATIF, ADJUDANT !

CINQ... QUATRE... TROIS...

GO !

JE LARGUE LA GAINE...

...OUF!... J'Y SUIS!!

FLOP

FLOP

ENVIRONS DE LA VALLÉE DE TORO BORO (AFGHANISTAN)...

C'EST BIENTÔT L'HEURE...

BAOUM! BOUM! RAKATAK, TAK!

!?

?!

28

SEIGNEUR GUDDYN! NOUS LANÇONS L'ATTAQUE SUR L'ENTRÉE PRINCIPALE DU REPÈRE DU MOLLAH KAMAL!

PARFAIT, NAJIB! JE PRÉVIENS ZIA JAH AFIN QU'IL RÉPERCUTE SUR LES FRANÇAIS...

BLAM !

YALA ! NOUS SOMMES ATTAQUÉS!!

ALLAH WAKHBAR!!

PAOW !

BAOUM !!

BLA

AU MÊME MOMENT, DEVANT L'ENTRÉE SECONDAIRE DE LA GROTTE...

TIREZ-VOUS, BANDE DE CONS!

ANDRÉ ?

FTOW !

29

QUELQUES HEURES PLUS TARD. BASE MILITAIRE FRANÇAISE DE DJIBOUTI...

JE LUI AI ADMINISTRÉ UN PUISSANT SÉDATIF, MAIS IL SEMBLE ATTEINT DE GRAVES TROUBLES D'ORDRE PSYCHOLOGIQUE...

MERCI, DOCTEUR. FAITES-LE PORTER DANS LE JET QUI REPART POUR PARIS...

T'ES VRAIMENT UN SALAUD, DARCOURT !!

LA FERME ! Y A QUELQU'UN QUI VEUT TE CAUSER !

TU PEUX PAS ME GARDER PRISONNIÈRE ! J'AI RIEN FAIT DE MAL !

65°C À L'OMBRE... VOUS M'AVEZ OBLIGÉ À QUITTER LE PRINTEMPS PARISIEN POUR CE FOUR PERDU AU FIN FOND DE LA CUVETTE DE L'ANTICHAMBRE DU DIABLE !

C'EST QUI, CE GUIGNOL ?

MADEMOISELLE CRUZ, SAVEZ-VOUS QUE J'AI ÉTÉ LONGTEMPS SOLDAT AVANT DE DEVENIR L'ÉMINENCE GRISE DE PLUSIEURS PRÉSIDENTS DE LA RÉPUBLIQUE ?

SI VOUS ÉTIEZ UN GENTLEMAN, VOUS ME FERIEZ RETIRER CES BRACELETS QUE JE NE MÉRITE PAS !!

JE VOUS SAIS BELLE ET DANGEREUSE, MAIS JE NE SAURAIS VOUS RÉSISTER ! DARCOURT ? VEUILLEZ OBTEMPÉRER...

VOILA! VOUS SAVEZ TOUT DE MON COMBAT ACTUEL! JUSQU'À MON DERNIER SOUFFLE, JE ME BATTRAI POUR QUE NOS DÉMOCRATIES NE SUCCOMBENT PAS À LA GANGRÈNE MAFIEUSE!

VOUS AVEZ DE LOUABLES INTENTIONS, MAIS JE NE VOIS PAS EN QUOI TOUT CELA ME CONCERNE, SEÑOR LEDUC!

NE VOUS FOUTEZ PAS DE MA GUEULE!!

JE SAIS QUE VOUS TRAVAILLEZ POUR CE MILLIARDAIRE DE NATCHEZ QUI EST EN "AFFAIRES" AVEC ALEXANDRE TCHEN!

ET TCHEN EST UN CORRUPTEUR NOTOIRE! MÊME NOTRE MINISTRE DE LA DÉFENSE SE FAIT "ARROSER" PAR LUI, VIA SA MAÎTRESSE, QUI N'EST AUTRE QUE L'ASSISTANTE DE TCHEN!!

ÉCOUTEZ... MOI, JE NE SUIS QU'UN SIMPLE GARDE DU CORPS. VOS HISTOIRES DE MAFIA, DE GANGRÈNE ET DE COMMISSIONS OCCULTES, J'Y PIGE QUE DALLE!!

NE SOYEZ PAS STUPIDE! REJOIGNEZ LES FORCES DU BIEN ET NON CELLES DU MAL... J'AI BESOIN DE VOUS, DE VOS INFORMATIONS SUR LES TRAFICS DE CES ORDURES, PUISQUE VOUS ÊTES AU MILIEU D'EUX!

MADRE MÍA... JE NE PEUX POURTANT PAS LUI PARLER DU PROJET INSIDER...

MONSIEUR LE CONSEILLER PRÉSIDENTIEL?... NOUS DEVONS DÉCOLLER POUR VILLACOUBLAY DANS DIX MINUTES!

33

6 JUIN, QUELQUE PART EN NORMANDIE (FRANCE)...

OUI, BOSS! CELA FAIT CINQ JOURS QUE JE NE LA LÂCHE PAS D'UNE SEMELLE. DEPUIS QU'ELLE EST ARRIVÉE À PARIS APRÈS VOUS AVOIR APPELÉ DE DJIBOUTI...

ELLE A FAIT EXACTEMENT TOUT CE QUE VOUS LUI AVEZ DEMANDÉ! ET DEPUIS CE MATIN, ELLE EST AU POINT DE RENDEZ-VOUS CONVENU EN ATTENDANT QU'ON VIENNE LA CUEILLIR... COMMENT?

OLEG? JE TE DEMANDE SI TU ESTIMES QU'ELLE EST TOUJOURS FIABLE MALGRÉ LE FAIT QU'ELLE SOIT PASSÉE ENTRE LES MAINS DES SERVICES SPÉCIAUX FRANÇAIS... ATTENDS... MERCI JULIETTE! ALLÔ...

"...OUI! JE DISAIS DONC QUE LA SÉCURITÉ DU GRAND CONSEIL NE SERA PAS COMPROMISE SI ELLE REPREND SON JOB À NOS CÔTÉS?

ÇA NE ME PLAÎT PAS, MAIS JE DOIS DIRE QU'ELLE A L'AIR "RÉGLO", PATRON...

FINALEMENT, PEUT-ÊTRE QU'ELLE NE JOUE PAS UN DOUBLE JEU ET QUE LA MORT DE YOURI* ÉTAIT UN ACCIDENT...

* VOIR TOME 3 : "MISSILES POUR ISLAMABAD".

34

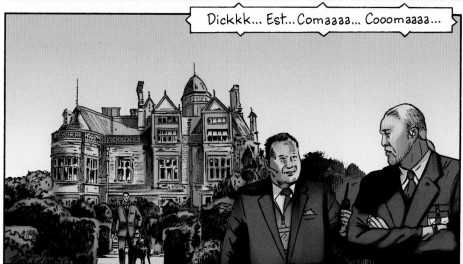

JE T'EXPLIQUE. IL S'AGIT D'UN CONSEIL D'ADMINISTRATION RÉUNISSANT DES PERSONNES QUI TIENNENT AVANT TOUT À PRÉSERVER LEUR ANONYMAT ET LEUR TRANQUILLITÉ...

TU AURAS DONC UN RÔLE DANS LE DISPOSITIF DE PROTECTION RAPPROCHÉE, PUISQUE SAM EN A FAIT EXPRESSÉMENT LA DEMANDE...

ET SI CE CONSEIL D'ADMINISTRATION ÉTAIT LA "FAÇADE" DU MYSTÉRIEUX GRAND CONSEIL DONT JE DOIS PROUVER L'EXISTENCE...

MADRE MÍA! ON EST CHEZ QUI, ICI ?

CHEZ LA BARONNE JULIETTE SOUVAULT DE THÉOUL!

LE LENDEMAIN MATIN...

ET LES PROFITS EN PROVENANCE DE MON SECTEUR GÉOGRAPHIQUE SONT EXPONENTIELS CAR MAINTENANT NOS FOURNISSEURS Y RAFFINENT DIRECTEMENT L'HÉROÏNE !

AVEC L'HÉROÏNE FOURNIE PAR ZIA, 90% DU MARCHÉ EUROPÉEN EST SOUS NOTRE CONTRÔLE, ALORS QUE LA CONSOMMATION NE CESSE D'AUGMENTER EN RUSSIE, EN ASIE DU SUD-EST, MAIS AUSSI EN CHINE !

ET LA CROISSANCE ÉCONOMIQUE DE LA CHINE N'EST PAS PRÈS DE CESSER.

ET QUI DIT PLUS DE CROISSANCE DIT PLUS D'ARGENT POUR LA CONSOMMATION DE STUPÉFIANTS !

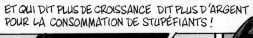

D'APRÈS LES DERNIERS CHIFFRES DONNÉS PAR NOS ANALYSTES, LE CHIFFRE D'AFFAIRES MONDIAL DE L'HÉROÏNE AVOISINERA LES 30 MILLIARDS DE DOLLARS CETTE ANNÉE !

DONT PRÈS DES 3/4 SONT SOUS LE CONTRÔLE DU GRAND CONSEIL !

OUI, FRANCK, MAIS NOUS NE POUVONS PLUS FAIRE CIRCULER CET ARGENT AUSSI FACILEMENT QU'AUPARAVANT, DEPUIS QUE CERTAINS PARADIS FISCAUX SONT DANS LE COLLIMATEUR DE L'ONU...

IL NOUS FAUDRAIT DONC NOTRE PARADIS FISCAL...

JUSTEMENT, SAM A UN PROJET TRÈS ASTUCIEUX...

...POUR BLANCHIR PRÈS D'1 MILLIARD DE DOLLARS EN CASH QUE JE SOUHAITE FAIRE SORTIR DU CROISSANT D'OR, ET SUR LESQUELS LE GRAND CONSEIL AURA SON POURCENTAGE HABITUEL...

POURVU QUE ÇA ENREGISTRE BIEN LE SON...

PC SÉCURITÉ

MIERDA! LE DVD EST PRESQUE PLEIN!

VOILÀ COMMENT LA WORLD BUSINESS BANK, SISE À MONACO, VA ÊTRE À NOUS!

DA! TRÈS INGÉNIEUX!

NATCHEZ-SAN... VOUS TOUJOURS AUSSI RETORS!

JE VOUS AVAIS DIT DE NE PAS LA LAISSER SEULE!!

AH? J'AVAIS PAS COMPRIS ÇA...

!?!

QU'EST-CE QUE TU FOUS?!

MON BOULOT, OLEG! D'AILLEURS, IL SEMBLERAIT QUE L'ON AIT DE LA VISITE...

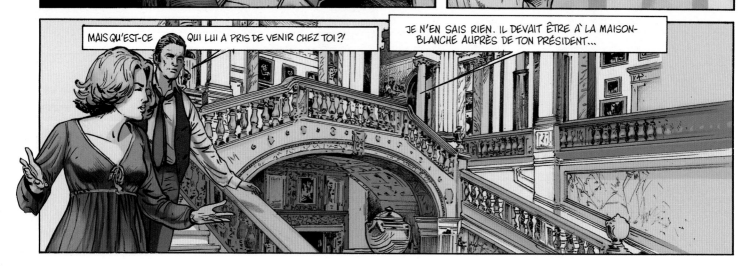

LÂCHEZ CE LANCE-MISSILES, ESPÈCE D'ABRUTI !

SALUT, WILLIAM ! VENEZ !

JE SAIS QUE MA VISITE VOUS SURPREND, MAIS J'AI PROFITÉ D'UN DÉPLACEMENT DU VICE-PRÉSIDENT À PARIS... AFIN DE VENIR VOUS REJOINDRE !

JE TE DIS QUE C'EST LE CONSEILLER DU PRÉSIDENT DES ÉTATS-UNIS, EN CHARGE DE LA SÉCURITÉ NATIONALE !

T'AS RAISON ! JE L'AI VU SUR CNN PLUSIEURS FOIS...

ET SI CE TYPE EST ICI, C'EST QUE KARPOV A FINALEMENT CRAQUÉ ET QU'IL M'A BALANCÉE ?!...

CE TYPE N'A PAS ENCORE LÂCHÉ DE NOM, MAIS ÇA NE VA PAS TARDER... NOUS SAURONS BIENTÔT QUI EST VISÉ PAR CE PROJET INSIDER !!

ÉTRANGE COÏNCIDENCE... KARPOV NE M'A-T-IL PAS PRÉVENUE QU'UNE TAUPE POUVAIT SE TERRER À LA MAISON-BLANCHE ?

ELLE A L'AIR BIZARRE... FAUDRA QUE J'EN PARLE AU BOSS !

16 JUIN. SAINT-TROPEZ...

TIENS, TIENS...

WHAM

DARCOURT!... ET SI...

HÉ... ELLE S'EST ARRÊTÉE POUR REPARTIR AUSSITÔT!...

?!

D 539

32 COL DU BABAOU 1,2 ALT. 219m

QUELQUES HEURES PLUS TARD, FORT DE BRÉGANÇON...

JE VOUS AI TOUT EXPLIQUÉ. VOILÀ COMMENT LA WORLD BUSINESS BANK, SISE À MONACO...

...VA ÊTRE À NOUS !

C'EST INCROYABLE ET CENT FOIS PIRE QUE CE QUE JE SOUPÇONNAIS !

JE DOIS VOUS FÉLICITER, CAPITAINE DARCOURT. CE DOCUMENT VIDÉO EST UNE VRAIE "BOMBE" !

MERCI, MONSIEUR LE CONSEILLER, MAIS C'EST NOTRE "SOURCE" QU'IL FAUT REMERCIER...

ET PROTÉGER COÛTE QUE COÛTE !!... VOUS SEREZ SON OT* ET NE RENDREZ COMPTE QU'AU GÉNÉRAL CASTAGNOU ET À MOI-MÊME !

DE MON CÔTÉ, JE VAIS PRÉVENIR LE GARDE DES SCEAUX DE CE QUI SE TRAME, ET SON HOMOLOGUE MONÉGASQUE AINSI QUE LE PALAIS PRINCIER...

ET ON LUI DONNE QUEL NOM DE CODE À LA "SOURCE" ?

JE VAIS Y RÉFLÉCHIR, CAPITAINE...

*OFFICIER TRAITANT QUI "GÈRE" SES AGENTS (INFORMATEURS).

43

24 JUIN. SIÈGE DE LA WORLD BUSINESS BANK (PRINCIPAUTÉ DE MONACO)...

ET VOILÀ, MANFRED ! TU NE DÉTIENS PLUS QUE 0,01 % DE TA BANQUE, MAIS AU MOINS JE TE LAISSE LA VIE SAUVE*!

LE RESTE DU CAPITAL APPARTIENT DÉSORMAIS À LA ZIABATHIAR INVESTMENTS, UNE HOLDING REGROUPANT LES INTÉRÊTS FINANCIERS DE GUDDYN BATHIAR ET DE ZIA JAH...

MAIS, JUSQUE-LÀ, RIEN DE BIEN ORIGINAL, MON BON MANFRED... LE COUP DE GÉNIE VIENT DU FAIT QUE CETTE SOCIÉTÉ S'EST FAIT PRÊTER DE L'ARGENT PAR LA PAKTIA BANK...

ET IL RACONTE TOUT ÇA DEVANT MOI...

...QUI EST UNE BANQUE OFF-SHORE BASÉE AUX ÎLES CAYMAN, ET QUI APPARTIENT À DES SOCIÉTÉS-ÉCRANS, ELLES-MÊMES FILIALES DE LA ZIABATHIAR INVESTMENTS!

LA BOUCLE EST DONC BOUCLÉE ! LES NARCODOLLARS EN PROVENANCE DU CROISSANT D'OR VONT SE "BLANCHIR" GRÂCE À CE MÉCANISME DE PRÊT QUE ZYA ET GUDDYN SE FONT À EUX-MÊMES ! PAS MAL, NON ?

QUANT À TOI, MANFRED, TU NE TOUCHERAS QUE 10 % DU PRODUIT DE LA VENTE POUR RÉMUNÉRER LES 99,99 % DES ACTIONS QUE TU VIENS DE CÉDER...

CE QUI REPRÉSENTE LA COQUETTE SOMME DE 100 MILLIONS DE DOLLARS !!

OLEG SOUHAITE VOUS PARLER, SAM...

*VOIR TOME 3 : "MISSILES POUR ISLAMABAD".

44

ÇA SENT LE ROUSSI, PATRON... VOUS FERIEZ MIEUX DE DÉGAGER RAPIDEMENT ! MOI, JE VAIS ESSAYER DE LES RETARDER...

?!

?

MONSIEUR DE LIMBOURG ? J'AI ICI DES FONCTIONNAIRES DU SICFIN* QUI ONT DES MANDATS D'AMENER À VOTRE NOM ET À CELUI D'UN MONSIEUR NATCHEZ POUR...

OUI, BOSS ! JE LES VOIS PAR LES CAMÉRAS DE SURVEILLANCE, CAR JE SUIS AU PC SÉCURITÉ SITUÉ AU SOUS-SOL... JE COMPRENDS PAS...

... "BLANCHIMENT AGGRAVÉ DU PRODUIT D'UNE INFRACTION LIÉE AU TRAFIC ILLICITE DE STUPÉFIANTS", ET TOUS LES AVOIRS DE LA BANQUE SONT SAISIS À COMPTER DE MAINTENANT !

CET ASCENSEUR NOUS MÈNE DIRECTEMENT AU PARKING SOUTERRAIN, ET À UNE SORTIE DÉROBÉE...

BULLSHIT ! C'EST QUOI CE BORDEL ? QUI EST-CE QUI NOUS A PIÉGÉS ? MANFRED ?!

ON NE PASSE PAS !

HÉ !... ILS ONT OLEG !...

VOS GUEULES !!

LÂCHEZ VOS ARMES ! IMMÉDIATEMENT !!

BRAOWBLAM! RATACK !

COMME ÇA, ILS N'AURONT PAS D'IMAGES DE NOTRE DÉPART !

PAR ICI, SAM !

*ÉQUIVALENT DU TRACFIN FRANÇAIS.

LES VOILÀ !... PARFAIT TIMING...

IL NE ME RESTE PLUS QU'À PRÉVENIR DARCOURT !

C'EST BON... LE COLIS EST BIEN EN PLACE...

BRWOWF

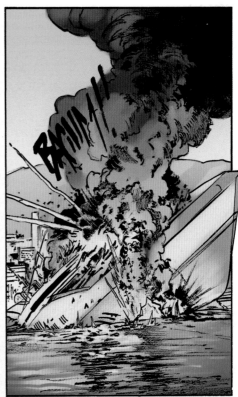

À suivre dans : "OPA sur le Kremlin"

Du même dessinateur :

RENAUD GARRETA

Benson Gate (2 tomes parus)
scénario Fabien Nury – Dargaud

Tanguy et Laverdure
scénario Jean-Claude Laidin – Dargaud
Opération Opium

Fox One
scénario Olivier Ayache-Vidal – Éditions du Caméléon
L'Intégrale

Du même scénariste :

JEAN-CLAUDE BARTOLL

Mekong (2 tomes parus)
dessin Xavier Coyère – Dargaud

L'Agence (4 tomes parus)
coscénario d'Agnès Bartoll, dessin Thomas Legrain – Casterman

Mafias & Co (1 tome paru)
collectif – 12 bis et arthème Fayard

Diamants (2 tomes parus)
coscénario Agnès Bartoll, dessin Bernard Köllé – Glénat

Mortelle Riviera (3 tomes parus)
coscénario Agnès Bartoll, dessin Thomas Legrain – Glénat

Terroriste (1 tome paru)
dessin Pierpaolo Rovero – Glénat

T.N.O. (3 tomes parus)
dessin Franck Bonnet – Glénat

http://bartoll.blogspot.com